Jean-François Kieffer

Les Aventures de LOUPIO

— TOME 8 —

Le Défi

MamE

Edifa

MamE
Edifa

Scénario et illustrations : Jean-François Kieffer

Direction : Guillaume Arnaud
Direction éditoriale : Sarah Malherbe
Edition : Astrid de Moussac
Mise en pages : César Apolinar Castellanos

Fabrication : Thierry Dubus, Anne Floutier
Photogravure : Turquoise
Achevé d'imprimer en France par Pollina en août 2014 - L69687C – Dépôt légal : septembre 2010
N° d'édition : 14 234 – MDS : 535 116

FRANÇOIS D'ASSISE

vécut pauvre et joyeux, au temps des chevaliers et des troubadours. Fils d'un riche marchand de la ville d'Assise en Italie, le jeune homme avait laissé sa fortune et ses rêves de gloire pour mieux servir son Dieu. Dépouillé de tout bien, il devint le frère de tous et l'ami de toute créature.

On dit que François parlait aux oiseaux et qu'un jour, il changea le cœur d'un loup. Certains disent même que ce loup se lia d'amitié avec un orphelin et que tous deux parcoururent les chemins d'Italie, vivant mille aventures...

UN MATIN D'AUTOMNE...

C'est jour de fête! Nous attendons la visite de Bernard, mon premier compagnon.

Je me charge du repas!

Deux oignons, trois œufs... Avec quelques champignons, cela fera une délicieuse omelette.

Pourvu que ce Bernard ne soit pas un gros mangeur...

Loupio, regarde qui vient d'arriver!

Frère Gilles, frère Léon*!

Vous tombez bien: Loupio nous prépare un repas de fête!

On parle de repas, par là?

Mes frères, nous arrivons à point!

Alléluia! Les frères Simon, Pierre et Ange, de Monte Casale*!

Aïe, mon omelette ne va jamais suffire...

Bonjour, les petits frères!

Bernard, enfin!

Mais tu n'es pas seul...

* Tome 5   * Tome 6

Frère Genièvre tenait à m'accompagner...

Et j'ai bien fait...

Sinon, la table aurait manqué... de fleurs!

Oooh!

Magnifique!

François, mon repas était déjà modeste pour trois, nous voici neuf...

N'aie aucun souci, Loupio...

♪ Mon bon Seigneur, toi qui prends soin de toute créature, béni sois-tu pour la nourriture que tu nous donnes en ce jour!

Amen!

Hum! Pardon...

Non non, il n'y a plus de place!

Frère François, nous avions un banquet pour le baptême de notre sœur...

On n'a pas pu tout manger...

Notre mère vous envoie tout ceci.

Ah, Loupio, vois comme Dame Providence veille sur nous!

Elle s'appelle comme ça, votre mère?

Ben non...

Hi hi!

La providence, les enfants, c'est le nom que prend Dieu pour nous procurer ce qu'il faut, quand il faut.

Assez parlé, mangeons!

PLUS TARD...

Il est temps de rassembler les frères pour chanter les vêpres*...

Je sonne la cloche!

DONG DOOONG crrr...

Frère Loup, je m'envole!

DOONG Crac

Eeeh!

BRAOUMM

Mon Dieu!

Loupio! Tu n'as rien?

Ça... Ça va...

La cloche, en revanche...

Je suis vraiment désolé...

Tu es vivant, c'est l'essentiel! Allons, entrons prier...

LE SOIR VENU...

Je veux réparer ma bêtise: dès demain, je pars à la recherche d'une nouvelle cloche.

Sais-tu seulement où en trouver une?

Et le prix que ça coûte?

Et le poids que ça pèse?

C'est au-dessus de tes forces, Loupio!

Je relève le défi.

Et puis, quelqu'un m'aidera: Dame Providence...

* Prière du soir

10

C'est vrai que la petite aurait la bonne taille...

Voilà pourquoi Dame Providence l'a placée sur notre route...

Cependant, mieux vaut attendre la nuit, pour ne pas troubler les gens...

À LA NUIT TOMBÉE...

J'y suis presque...

AAAAH!

DINNG DINNG

DONNG DONNG

Alerte!

Que se passe-t-il?

J'ai glissé !

Courons!

C'est raté...

Il y a aussi deux cloches à Bovara, et même trois à...

Frère Genièvre, je préfère continuer seul...

LE MATIN SUIVANT...

Quelle chance, c'est jour de marché, à Spolète!

Tu as le choix : cloches pour brebis, pour chèvres, pour vaches...

Pour chapelles, vous avez ?

Ah non, je ne fais pas ce genre d'article.

Je vous ai entendu, messire, et je peux vous aider... Quel genre de cloche cherchez-vous ?

Il m'en faut une grande comme ça.

Et de quelle somme disposez-vous ?

Euh... Si je chante toute la journée, je peux gagner près de douze écus !

Fort bien...

Chantez trois jours, et retrouvons-nous près de la fontaine.

J'y serai !

AU BOUT DE TROIS JOURS...

Bravo !

Merci, bonnes gens !

Une autre !

J'ai gagné plus que prévu !

Quarante écus ! Pour ce prix, votre cloche sera splendide !

13

Je vous la livrerai demain à midi, dans la dernière échoppe de cette ruelle, au pied du rempart.

LE LENDEMAIN, À MIDI...

Tiens, c'est une boutique de volailles...

Jeune homme?

Bonjour, je viens pour la cloche.

Tu fais erreur: ici, nous vendons des poules, des oies, des canards...

Et notre spécialité: le pigeon.

Mais, j'avais rendez-vous avec un petit homme, vêtu de jaune...

Et coiffé de vert?

Et qui t'a soutiré de l'argent?

Vous le connaissez donc?

Mon pauvre, tu es tombé sur le pire escroc de la ville!

Tu peux dire adieu à tes écus!

Misère, tout est à recommencer... Où aller à présent?

Je ne suis pas loin de l'abbaye San-Pietro*: Orlando sera de bon conseil...

* Tome 1

Loupio, c'est un rude défi que tu t'es lancé!

Mais où trouver un fabricant de cloches...

Moi, je sais.

Un compagnon de croisades venait du village d'Agnone, où existe une importante fonderie de cloches...

Je pars pour Agnone. Expliquez-moi la route!

Après la ville de Rieti, il faut remonter le Salto jusqu'à sa source, au pied du mont Velino...

Puis traverser les montagnes Abruzzes... C'est un très long voyage, Loupio!

J'aurais aimé que Frère Loup t'accompagne...

Je m'en remets à Dame Providence!

LE LENDEMAIN...

Mon ami s'appelait Valério. Il est mort aux portes de Jérusalem.

Emporte cette médaille que j'ai gardée de lui: s'il lui reste de la famille...

C'EST SOUS UN SOLEIL ARDENT QUE LOUPIO REPREND LA ROUTE. AU MILIEU DU JOUR...

Je meurs de chaud! Dame Providence, faites quelque ch...

BRRRRR

Ce doit être la fameuse cascade de Marmore...Quel spectacle !

Et quelle fraîcheur !

LE SOIR, PRÈS DU VILLAGE DE GRECCIO...

François m'a parlé d'une grotte des environs, où il aime se retirer...

M'y voici, ce sera parfait pour la nuit.

Je vais dormir comme un nouveau-né...

LE LENDEMAIN...

J'ai faim, moi !

Pourvu qu'à Rieti on aime la musique...

Car la nourriture ne va pas me tomber du...

Poc !

Ouille ! ... ciel ?

Des châtaignes!

Miam, un délice!

À RIETI...

Elles sont BELLES, elles sont BONNES, mes châtaignes grillées!

Une douzaine achetée, c'est une chanson offerte!

Mettez-m'en trois douzaines!

Quelle charmante idée!

BIENTÔT...

Sûrement pas de quoi payer une cloche, mais je ne mourrai pas de faim en chemin!

APRÈS PLUSIEURS JOURS DE MARCHE, PRÈS DU MONT VELINO...

Et maintenant, par où continuer?

Ô marcheur solitaire au manteau écarlate, dis-moi vers quel mystère en ces lieux tu te hâtes!

8
10

17

* *Au temps des Romains*

ET LOUPIO REPREND SA TRAVERSÉE DES ABRUZZES. À SULMONA...

Salut, grand Ovide!

Je sens que cette ville aime les artistes...

♪ ♫ ♩. Pour conserver l'humeur sereine j'ai dans le cœur un beau refrain ♩. ♪ ♩

TROIS JOURS PLUS TARD...

Je n'ai plus de voix! Et les doigts me brûlent...

Mais j'ai gagné soixante écus! Bien assez pour acheter la cloche...

... partager un peu...

Tenez, mon ami.

Merci, noble seigneur!

... et même goûter aux "confetti*"!

LE LENDEMAIN, SUR LA ROUTE...

Je ne me sens pas tranquille, avec autant d'argent sur moi...

Mieux vaut éviter les passages fréquentés et prendre par les hauteurs...

* Dragées, la spécialité de Sulmona

20

Que je suis content de te voir!

Brunor!

Il faut me conduire à nos amis tsiganes. Va !

Je crois qu'il a compris...

Pas si vite !

Brunor, attends-moi !

De nouveau perdu...

Toute la journée, Loupio erre dans la montagne. Enfin...

Là, de la fumée !

Que fais-tu par là, étranger ?

Je cherche des Tsiganes !

8 14

Des Tsi...

J'ai rencontré Brunor, l'ours...

Que raconte-t-il?

Il n'avait pas son chapeau vert, mais c'était bien lui!

Ce garçon doit avoir de la fièvre...

Il n'y a pas de Tsiganes par ici.

Mais des ours, oui... Et bien féroces!

Oooh

LE LENDEMAIN...

Pour Agnone, tu descends, tu traverses le Sangro, tu remontes et tu redescends!

Merci pour tout!

Voici le Sangro; mais pas de pont en vue...

Cet arbre fera l'affaire.

8
15

Je vais prendre au plus court...

Quelle pente!

AAah!

OUAH! OUAH!

Que se passe-t-il, là-haut?

Le malheureux!

DEUX JOURS ET DEUX NUITS ONT PASSÉ...

Il se réveille enfin!

Ooh, ma tête... Où suis-je?

Mon fils, tu es revenu!

Je suis si heureuse de te retrouver! Vois, j'ai lavé et réparé ta tunique...

Allons, Rénata, laisse ce garçon tranquille!

Je vais lui traire son bol de lait, comme autrefois...

La vue de ta médaille lui a causé un choc : notre fils portait la même...

Et votre fils est mort aux croisades, c'est bien cela ?

Prenez-la : c'était la sienne.

Comment est-ce possible ?

LOUPIO RACONTE ALORS LA RENCONTRE À SAN-PIETRO, LE LONG VOYAGE...

Ainsi, tu marches depuis Assise ?

Il me reste à trouver une cloche, et le moyen de la transporter jusqu'en Ombrie.

Ton courage aurait plu à Valério !

Demain, nous descendrons à Agnone, où je dois vendre trois moutons ; puis je t'indiquerai la fonderie.

LE LENDEMAIN...

Cet argent est pour ta cloche, Loupio.

Non ! Je...

Accepte, au nom de mon fils...

Ce monde, cette fumée... Vite, nous allons assister à une coulée !

8
18

25

Le métal fondu va remplir les moules, enterrés là-dessous.

Chut!

♫ Santa Maria

♫ SANTA MARIA

Quelle chaleur!

HOURRA!

Pourquoi tout le monde s'embrasse?

Parce que c'était le moment le plus délicat et que tout s'est bien passé!

Bravo, Tonino!

Salut, Gustavo!

Ce garçon veut acheter une cloche.

Le patron est avec un client. En attendant, veux-tu visiter la fabrique?

Avec joie!

À partir d'un "noyau" en briques, cet homme prépare le moule intérieur d'une cloche.

Sur ce moule, on modèle la "fausse cloche", avec un mélange de terre, de crottin de cheval et de poils de chèvre...

8
19

L'ensemble est recouvert de la "chape", le moule extérieur.

Dans un mois, quand tout sera bien sec, on cassera la "fausse cloche" pour couler la vraie, comme aujourd'hui ; puis Jacopo fera la toilette de la nouvelle cloche !

Ces deux-là sont prêtes à partir vers un monastère de Subiaco, non loin de Rome.

Comme vous l'aviez demandé, la cloche de la chapelle sonne en "ré"...

DONNG

Et celle du réfectoire* en "la".

DINNG

Quelle pureté de son !

Qu'en dis-tu, musicien ?

Voilà exactement le modèle qu'il me faut !

Et de quelle somme disposes-tu ?

De près de cent écus !

Ha ha !

C'est qu'elle me coûte cinq fois plus !

Et l'abbé Romano a passé commande il y a six mois !

* Salle à manger

(27)

Cinq cents écus... Six mois... Quand reverrai-je Assise?

Tu arrives... d'Assise?

Et tu veux réellement acheter une cloche?

Patron... Je pense à la "Cabrette"...

Que vient faire une chèvre dans cette affaire?

Il s'agit d'une cloche, disons... pas vraiment réussie.

Elle bêle plus qu'elle ne sonne! Nous l'avons gardée pour amuser les clients.

Ha ha!

Elle me plaît bien!

Bêêêng

Pour quatre-vingts écus, elle est à toi.

C'est entendu!

Mais la maison n'assure pas la livraison...

Si tu profitais de mon chariot pour un bout de chemin?

Ce n'est pas de refus!

Les gars, vous chargerez cette cloche avec les deux autres!

BIENTÔT...

Bonne route!

Comment vous remercier, Gustavo?

En allant au bout de ton défi, Loupio!

8
21

♫ ♫ ♪ ♪
Va dans la confiance, rien ne manquera Dame Providence veille sur tes pas
♫ ♫ ♫ ♩

Nous contournerons ces montagnes par Isernia.

Dis-moi, pourquoi ce long voyage? Que vas-tu faire de cette cloche?

Elle sonnera au clocher de Saint-Damien, la chapelle de mon ami François.

François, le "Poverello*" d'Assise? C'est un grand ami de l'ordre bénédictin, auquel j'appartiens!

Notre fondateur, saint Benoît, est lui aussi né en Ombrie, il y a sept siècles. C'est à Subiaco qu'il a commencé sa vie de moine; il y a fondé douze couvents! Puis il a fini sa vie à Monte Cassino, où nous ferons halte dans trois jours.

Mais parle-moi encore de François...

APRÈS DIX JOURS D'UN PAISIBLE VOYAGE...

Nous serons ce soir à Subiaco.

* "Petit pauvre"

Tu sais, j'ai bien réfléchi : il n'est pas normal que la cloche qui nous appellera aux repas soit plus belle que celle qui, à Saint-Damien, invitera à la prière...

Je te propose donc un échange : à toi cette cloche, qui dira aux frères de François l'amitié des frères de Benoît...

À nous la "Cabrette", qui nous rappellera à l'humilité !

Père Romano, vous avez grand cœur !

LE SOIR...

Quelle aventure !

Quel courage !

Et comment comptes-tu poursuivre ta route ?

Je ne le sais pas encore...

Loupio s'en remet à la providence, mes frères !

Je suis curieux de voir la forme qu'elle prendra pour transporter une cloche de cinquante kilos !

LE LENDEMAIN...

Voici le "Sacro Speco". Saint Benoît vécut trois ans dans cette grotte et y écrivit notre règle, maintenant suivie par des milliers de moines dans le monde...

Que de merveilles en ces lieux ! Mais il me tarde de reprendre mon voyage...

AU SECOURS !

Ce Léonardo est un génie!

Mais pourvu qu'il n'y ait pas trop de montées...

LE LENDEMAIN...

Frère Loup, n'allons-nous pas trop vers l'ouest?

Après tout, tu sauras bien retrouver Assise!

À chaque jour suffit sa peine, Ne te soucie point pour demain

Ce fleuve ne peut être que le Tibre...

J'ai compris! En le suivant, nous éviterons les collines!

Mais d'abord, nous avons besoin de repos...

Bonne nuit, Frère Loup!

LE MATIN VENU...

FRÈÈRE LOOUUP!

Il m'a laissé seul...

Et seul, c'est bien moins drôle!

Ouf... Je n'en peux plus!

Attention, devant!

Un coup de main, l'ami?

Où vas-tu, comme ça?

Jusqu'en Ombrie.

Il y a un embarcadère, dans mon village de Passo-Corèse ; tu y trouveras bien un bateau de marchand...

Ce garçon veut rejoindre Assise, avec sa cloche...

Drôle d'idée!

S'il aide à la manœuvre, je l'emmène jusqu'à Todi.

Qu'en dis-tu?

8/26

33

Merci pour votre aide!

C'est une charrette comme ça qu'il me faudrait, pour mes bidons de lait...

Prenez-la.

Allons, garçon! Nous avons toutes ces briques à débarquer!

PLUS TARD...

Maintenant, il faut embarquer ces haricots et ces fromages, sans oublier ta cloche!

ENCORE PLUS TARD...

Parfait, nous pouvons partir. Prêt pour hisser la voile?

Han! Han!

Le vent est une belle invention, pas vrai?

À présent, raconte-moi: pourquoi voyages-tu avec une cloche?

Elle vient d'Agnone, au-delà des Abruzzes...

Il fallait que j'en trouve une, parce que... Rrrrr...

Ah, ces jeunes... Un rien les fatigue!

34

BONG!

Hein, quoi?

Ce n'est qu'un tronc flottant qui a heurté la barque...

Donc, il me fallait trouver une nouvelle cloche pour la chapelle de mon ami Fr...

OHÉ, LA MARINE!

Gustino! Tu as déjà livré tes briques?

J'avais de l'aide pour décharger!

Nous allons nous arrêter avec eux pour la nuit.

Prends un autre poisson, l'ami!

Ainsi, tu te promènes avec une cloche?

En fait, il s'agit d'un défi. Je...

Si tu nous chantais une chanson?

♪♫♩♪ J'ai traversé forêts et plaines connu la peur, le froid, la faim ♩♪♩

LE LENDEMAIN...

À droite, c'est la rivière Nera, qui permet de remonter à Narni pour charger briques et tuiles...

Et voici Orte, mon village!

Quand nous aurons livré les fromages, je te ferai voir les plus beaux trésors d'ici...

Voici d'abord ma douce Bettina...

Papa!

Et voilà...

... mon Jacques!

Jusqu'au printemps dernier, notre petit était presque paralysé, tout replié sur lui-même; aucun médecin n'avait rien pu faire...

Nous l'avons emmené auprès du frère François, le saint homme d'Assise, qui l'a guéri d'un signe de croix!

François, c'est mon ami! C'est pour sa chapelle que je rapporte la cloche!

François, ton ami? Ne pouvais-tu pas le dire plus tôt?

Gustino, tu dois aider ce garçon.

Mais je l'emmène jusqu'à Todi!

Et après, comment fera-t-il?

Tu as raison. Je l'accompagnerai jusqu'à Déruta, c'est tout près d'Assise.

Et vous deux, vous partez avec nous!

LES JOURS SUIVANTS...

♫♪ ♪ File sous la brise mon joli bateau Vogue vers Assise vogue sur les flots ♫ ♩

Ah, Gustino, je n'oublierai jamais cette croisière musicale!

Voici Déruta, dont les poteries sont réputées dans le monde entier.

Ohé, charretier!

Accepterais-tu de transporter cette cloche et ce garçon jusqu'à Assise?

C'est que je vais à Pérouse, ça ferait un grand détour...

Allons, un bon geste!

8/30

Combien me donneras-tu, pour un bon geste?

Voici dix écus.

Reste encore, Loupio!

Je reviendrai te voir, Jacques!

Allons, pressons!

CLIP CLOP CLIP CLOP CLIP CL

Ne va-t-on pas trop vite?

La neige menace, et je veux être chez moi avant la nuit!

La cloche! Elle va...

DOONG DOOONG

Oh, noon!

Misère, voilà ce que c'est de rendre service!

Ouf, elle est entière!

Il faut m'aider à la sortir de là!

Débrouille-toi! J'ai déjà perdu assez de temps...

Non, ne partez pas!

C'EST INJUSTE!

Frère Loup! Joana!

Loupio, enfin!

Par quel prodige es-tu là ?

J'étais passée te voir à Saint-Damien, où beaucoup d'amis t'attendent! Tôt ce matin, Frère Loup a insisté pour que je le suive...

Ainsi, tu n'as pas trouvé de cloche...

Mais si, regarde!

Hourra! Je savais que tu réussirais!

BIENTÔT...

Haan!

Allez, Grisette!

Et maintenant?

Sors ton couteau, nous allons fabriquer un traîneau!

8/33

40

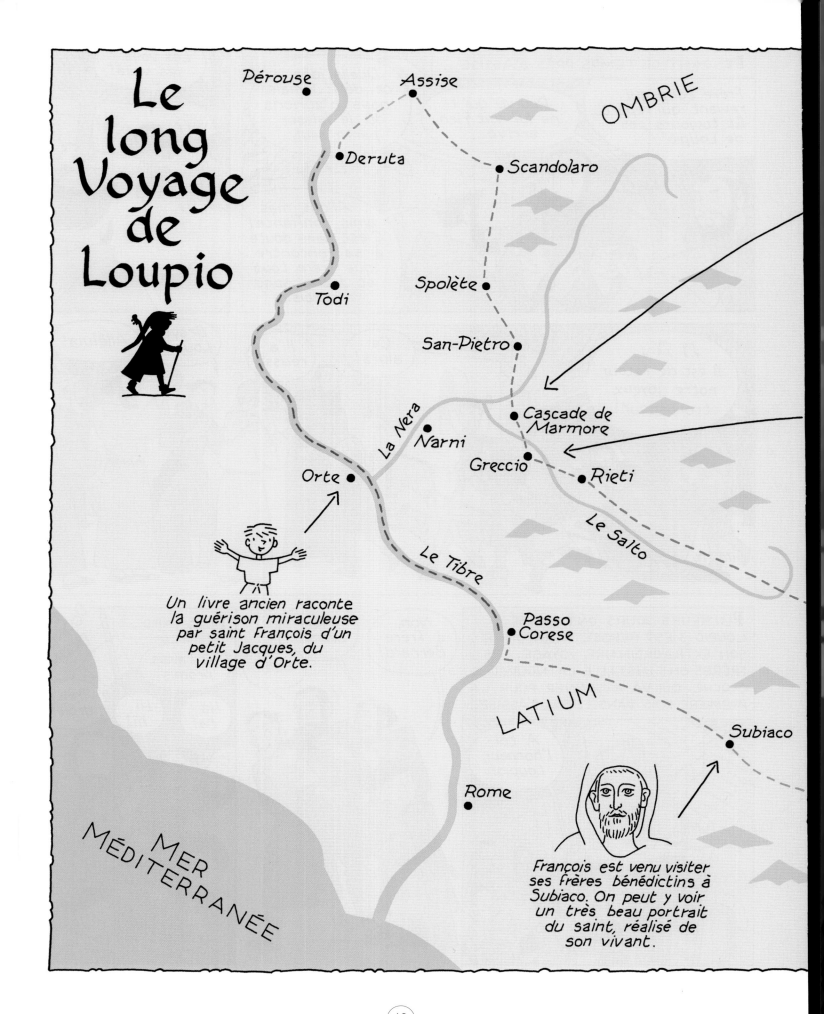

Le long Voyage de Loupio

Pérouse

Assise

OMBRIE

Deruta

Scandolaro

Todi

Spolète

San-Pietro

Cascade de Marmore

La Nera

Narni

Greccio

Rieti

Orte

Le Salto

Un livre ancien raconte la guérison miraculeuse par saint François d'un petit Jacques, du village d'Orte.

Le Tibre

Passo Corese

LATIUM

Subiaco

Rome

François est venu visiter ses frères bénédictins à Subiaco. On peut y voir un très beau portrait du saint, réalisé de son vivant.

MER MÉDITERRANÉE

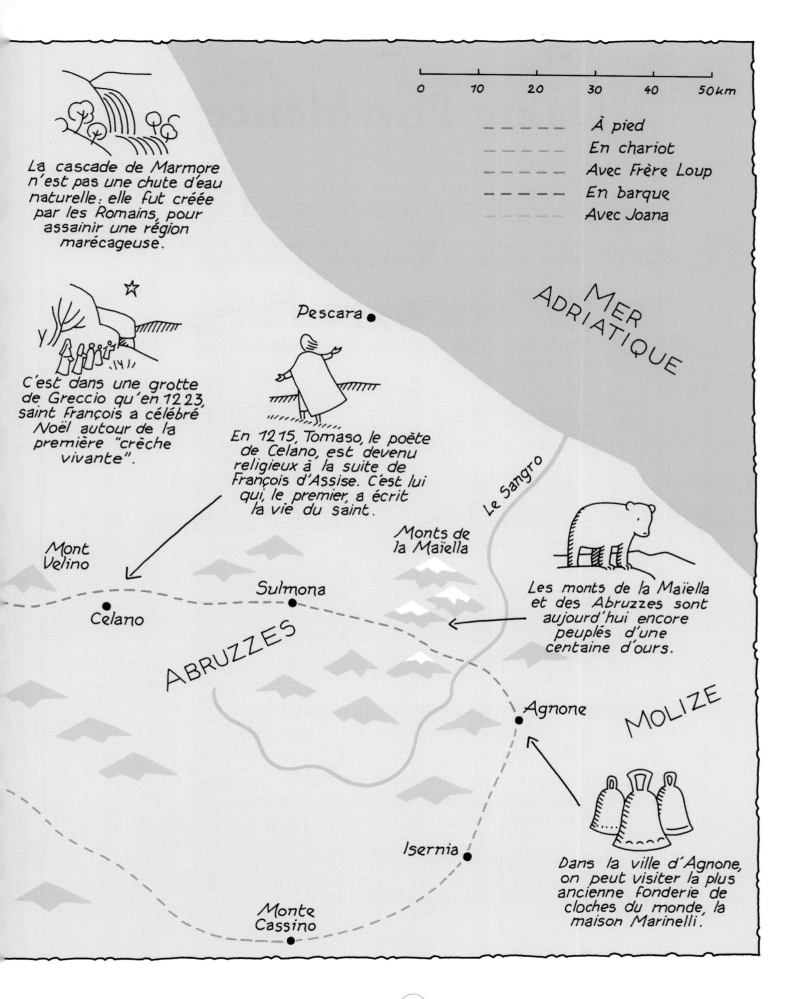

La cascade de Marmore n'est pas une chute d'eau naturelle: elle fut créée par les Romains, pour assainir une région marécageuse.

C'est dans une grotte de Greccio qu'en 1223, saint François a célébré Noël autour de la première "crèche vivante".

En 1215, Tomaso, le poète de Celano, est devenu religieux à la suite de François d'Assise. C'est lui qui, le premier, a écrit la vie du saint.

MER ADRIATIQUE

Pescara

Le Sangro

Monts de la Maïella

Les monts de la Maïella et des Abruzzes sont aujourd'hui encore peuplés d'une centaine d'ours.

Mont Velino

Sulmona

Celano

ABRUZZES

MOLIZE

Agnone

Isernia

Monte Cassino

Dans la ville d'Agnone, on peut visiter la plus ancienne fonderie de cloches du monde, la maison Marinelli.

0   10   20   30   40   50km

À pied
En chariot
Avec Frère Loup
En barque
Avec Joana

Dame Providence

1. J'ai traversé forêts et plaines, connu la peur, le froid, la faim.
Pour conserver l'humeur sereine, j'ai dans le cœur un beau refrain.
Frère François me l'apprit un matin :

Refrain : Va dans la confiance, rien ne manquera,
Dame Providence veille sur tes pas ! (bis)

2. Notre Seigneur, dans sa tendresse, nourrit la grive et le corbeau.
Même la fleur la plus pauvresse reçoit de lui robe et manteau.
Ne vaux-tu pas bien plus que mille oiseaux ?

3. À chaque jour suffit sa peine, ne te soucie point pour demain !
Cherche à servir le Dieu qui t'aime, il comblera tous tes besoins.
Va, pèlerin, ta vie est dans ses mains…